CW00421076

• La nuit des élusims •

L'auteur : Marie-Hélène Delval est auteur
de nombreux romans et histoires pour la jeunesse,
publiés aux éditions Bayard Jeunesse, Flammarion…
Pour Bayard, elle est également traductrice
de l'anglais (Les séries L'Épouvanteur
et La cabane magique, *L'Aîné…*).
C'est une passionnée de «littérature de l'Imaginaire»
et – bien sûr – de fantasy !

L'illustrateur : Alban Marilleau a étudié
à l'École Supérieure de l'Image d'Angoulême.
Depuis, il illustre des albums, de la bande dessinée,
et travaille pour Bayard Presse.
Ses ouvrages sont notamment publiés
aux éditions Nathan et Larousse. Pour représenter
l'univers magique des Dragons de Nalsara,
il s'est inspiré des ambiances qu'il fréquentait
déjà enfant, dans les romans de Tolkien.

© 2010, Bayard Éditions
© 2009, Bayard Éditions Jeunesse
Dépôt légal : février 2009
ISBN : 978-2-7470-2801-1
Loi n°49-956 du 16 juillet 1949 sur les publications à destination de la jeunesse.
Quatrième édition
Imprimé en Allemagne par CPI – Clausen & Bosse

Marie-Hélène Delval

• La nuit des élusims •

Illustrations d'Alban Marilleau

Quatrième édition

bayard jeunesse

Les dragons de Nalsara

Cette histoire se passe au royaume
d'Ombrune, sous le règne du roi Bertram.
À deux heures de bateau du port de Nalsara,
la capitale, s'élève l'île aux dragons.
On l'appelle ainsi car, tous les neuf ans,
deux ou trois dragonnes sauvages
viennent y déposer leur œuf.
C'est là que vit Antos, le Grand Éleveur
de dragons, avec ses enfants, Cham et Nyne.

Cham

Antos

Nyne

Résumé de l'épisode précédent
Complot au palais

Cham et Nyne sont invités au palais : on célèbre le jubilé du roi. Un bateau vient les chercher. Ils partent en compagnie de Hadal, l'ancien valet de messire Damian, qui est à présent secrétaire du Maître Dragonnier.

À la Dragonnerie royale de Nalsara, Cham retrouve Nour. Le dragonneau est devenu un grand dragon ! Or il sent que son dragonnier, un certain Darkat, a de noires pensées ; le dragon en est sûr : une grave menace pèse sur le jubilé. Il demande à Cham de prévenir le Maître Dragonnier. Grâce au miroir de Nyne, ils découvrent alors que Darkat est un sorcier addrak. Les Addraks — des barbares du Nord — voudraient-ils la guerre ?

Le jour de la fête, Darkat fait surgir un monstre de fumée, la strige, et tente d'enlever le roi. Cham, chevauchant Nour, rassemble les dragonniers. Avec l'aide d'Isendrine et Mélisande, des magiciennes, ils repoussent Darkat. Le sorcier disparaît sur le dos de son horrible monture.

En remerciement, le roi promet à Cham qu'il pourra devenir écuyer d'un dragonnier dès ses douze ans. Et il offre à Nyne plusieurs couples de lapins angoras, que la petite fille a beaucoup admirés.

Le départ de Nalsara

— Quelle chance on a eue, d'être invités au palais ! s'exclame Nyne.

Les enfants redescendent au port, accompagnés de Hadal. Leurs baluchons sont bien plus gros qu'à leur arrivée : ils contiennent les tenues d'apparat que dame Soline, la lingère, leur a confectionnées pour les fêtes royales. À vrai dire, Cham se demande ce qu'il va bien pouvoir faire d'un costume de velours à la ferme ! Mais Nyne est très contente d'emporter sa « robe de princesse », comme elle l'appelle.

– De la chance? répète Hadal. Certes! Cependant, vous pouvez être fiers : sans vous, je me demande bien ce qui serait arrivé!

Cham opine de la tête. Sans eux, Darkat le sorcier, chevauchant son horrible strige, aurait enlevé le roi Bertram ; voilà ce qui serait arrivé! Alors, la guerre contre les Addraks, ces barbares du Nord, aurait peut-être éclaté…

Le souverain a même remercié en personne les enfants du Grand Éleveur de dragons de leur intervention!

– Sans l'aide de Nour, précise toutefois Cham, nous n'aurions rien pu faire…

Le garçon se retourne et jette un dernier regard vers les murs de la dragonnerie, qui surplombent la falaise. Pourvu que le jeune dragon soit heureux avec son nouveau dragonnier!

Mais les voilà sur le quai. Le bateau qui va les ramener chez eux, sur l'île aux Dragons, les attend, amarré par d'énormes cordages. Une bonne brise souffle. Voyant claquer en haut du grand mât le drapeau blanc et or orné d'un dragon rouge – le pavillon royal –, Cham se rappelle ce que le roi lui a promis : dès ses douze ans, il pourra devenir écuyer d'un dragonnier. Ça, c'est une grande nouvelle ! Quand son père l'apprendra, il…

– Hé ! fait sa sœur en le retenant par la manche. Tu veux rejoindre le navire à la nage ?

Le nez en l'air, Cham s'est avancé imprudemment jusqu'à l'extrême bord du quai.

– Oui, mieux vaut emprunter la passerelle, conseille Hadal en riant. Venez, on peut embarquer !

En attendant le départ, tous trois se promènent sur le pont. Cham retrouve cette bizarre sensation de marcher sur un plancher qui se dérobe sous les pieds. Pourvu qu'il n'ait pas le mal de mer, comme à l'aller ! C'est que la traversée dure au moins deux heures…

Un matelot s'approche et s'adresse à Nyne :

— Les clapiers envoyés pour vous par le roi sont à bord, demoiselle.

— Oh ! s'écrie la petite fille. Je peux les voir ?

L'homme conduit les voyageurs vers l'arrière du navire. Arrivé à la poupe, il désigne une dizaine de caisses en bois, dont un côté

est grillagé. Elles sont solidement attachées avec des cordages.

— Ils sont là! souffle Nyne, attendrie. Mes beaux lap…

— Chut! Tais-toi! l'interrompt Hadal. Il y a un mot qu'on ne prononce jamais sur un bateau…

Et il chuchote à l'oreille de la petite fille:

— C'est le nom de tes petites bêtes à longues oreilles! Les marins disent que ça porte malheur!

— Ah bon? fait-elle, interloquée.

Puis elle s'étonne:

— Le roi Bertram m'avait promis quatre couples, et il y en a… deux fois plus!

Sa surprise amuse Hadal:

— Eh oui! Notre souverain est très généreux! Tu vas pouvoir commencer un véritable élevage!

La petite fille déclare, taquine:

— Dès que j'aurai récolté assez de poils, Hadal, je vous confectionnerai un gilet, promis!

Le moment est venu de larguer les amarres. Le capitaine lance des ordres; les matelots s'activent; les voiles se gonflent. Le navire s'éloigne lentement du quai. Bientôt, il sort de la rade, et un léger roulis le balance d'un côté sur l'autre.

« Ça y est, pense Cham. Je vais avoir mal au cœur... »

Accoudés au bastingage, les enfants regardent s'éloigner la ville de Nalsara, le palais royal, en haut de la falaise. Puis les voilà en pleine mer.

La houle est plus forte qu'à l'aller. Cham a l'impression que son estomac va lui remonter dans la bouche. Dire que, dans un peu plus d'un an, s'il veut devenir écuyer, il devra refaire ce voyage! Quelle idée d'habiter une île!

Soudain, un curieux remue-ménage attire son attention. Les matelots courent sur le pont, grimpent dans les haubans. Le bateau tangue de plus en plus violemment. Cham a du mal à garder son équilibre. Le vent lui siffle aux oreilles, lui rabat les cheveux dans les yeux. Une grosse vague l'éclabousse. Hadal le tire par le bras :

— Viens ! lui crie-t-il. Allons nous abriter !

— Que se passe-t-il ? s'affole le garçon. C'est une tempête ?

— Oh, rien qu'un grain, probablement. Une forte bourrasque. Ça ne va pas durer.

Juste avant de descendre par une écoutille vers le pont inférieur, Cham lève les yeux : le ciel, si bleu à l'heure de leur départ, est maintenant d'un noir d'encre. Le garçon n'aime pas cette couleur. Elle lui rappelle un peu trop celle de l'effroyable strige…

Une étrange tempête

Le bateau tangue follement, grinçant et craquant.

Au-dessus de leur tête, Cham et Nyne entendent les marins aller et venir en hâte sur le pont.

Incapables de tenir debout, ils s'assoient contre de gros ballots de toile, entreposés là.

Nyne demande d'une toute petite voix :

– On ne va pas… couler, hein, Hadal ?

Celui-ci rit :

– Bien sûr que non ! Le navire est puissant, et il a déjà traversé bien des tempêtes.

L'équipage va réduire la voilure, pour offrir moins de prise au vent; ensuite…

Hadal se lance dans de grandes explications sur l'art de naviguer. Les enfants n'y comprennent pas grand-chose. D'ailleurs, ils n'écoutent plus vraiment. Ils échangent un regard inquiet et devinent qu'ils ont tous les deux la même pensée: leur compagnon parle avec un enthousiasme forcé. En vérité, il essaie de leur cacher qu'il a aussi peur qu'eux!

Soudain, Nyne s'exclame:

– Mes lap…! Mes petites bêtes! Il faut les mettre à l'abri!

– Ils ne risquent rien, lui assure Hadal. Les cages sont bien arrimées.

Mais la petite fille a déjà bondi sur ses pieds. Escaladant à quatre pattes l'étroit escalier, elle monte vers le pont supérieur.

– Nyne! crie son frère. Reviens!

Trop tard, elle a disparu.

Cham s'élance derrière elle. Pas question qu'il laisse sa sœur toute seule là-haut! Et puis, d'être ainsi enfermé ne lui vaut rien.

Il a trop envie de vomir. Il a besoin de respirer.

Dès qu'il surgit au-dehors, une rafale de vent lui coupe la respiration. Il a l'impression que l'air se colle à son visage comme un chiffon mouillé.

– Nyne ! lance-t-il. Attends-moi !

Une silhouette claire zigzague vers l'arrière du navire en titubant. Cham s'efforce de la suivre, cramponné au bastingage. Des paquets d'écume salée passent par-dessus bord et trempent ses vêtements. Sous ses pieds, le plancher bascule telle une énorme balançoire, en avant, en arrière, en avant...

Derrière lui, une voix crie quelque chose qu'il ne comprend pas. C'est Hadal, sans doute, mais le vent disperse ses paroles.

À cet instant, un marin accourt et retient la fillette par le bras. Cela laisse à Cham le temps de la rejoindre. Nyne est dans un bel état ! Sa robe lui colle à la peau, ses cheveux sont plaqués sur son visage. Elle proteste :

– Laissez-moi, monsieur ! Mes lap... Je veux dire... mes petites bêtes...

D'une voix forte, pour couvrir le rugissement du vent, le marin la rassure :

– Elles sont à l'abri, demoiselle. Nous avons protégé les cages d'une bâche goudronnée, qui empêche l'eau de passer.

– Ah ! Merci ! Mais elles doivent avoir tellement peur, les pauvres !

– Redescendez vite au pont inférieur ! recommande le matelot.

Hadal arrive alors, aussi trempé qu'eux. D'un ton mi-inquiet, mi-furieux, il lance :

– Voyons, les enfants, qu'est-ce que vous faites ? Venez ! Ne restez pas là, vous allez attraper du mal.

Cham est bien d'accord. Il a froid, et la violence des éléments l'effraie. Il regarde autour de lui.

Avec stupéfaction, il constate que le navire vogue dans une profonde obscurité. Le ciel, la mer, tout est noir. Seule la crête des vagues ourlée d'écume jette de temps à autre une lueur blanche dans toute cette noirceur.

Pourtant, lorsqu'ils ont quitté le port, c'était le plein soleil de midi !

– Hadal, s'exclame le garçon, on dirait qu'il fait déjà nuit! C'est à cause de la tempête, vous croyez?

Hadal balbutie :

– Je… je ne sais pas, Cham. C'est assez inhabituel ; cependant…

Il n'en dit pas plus ; mais Cham a compris : en effet, ce n'est pas habituel. Cette tempête, cette nuit soudaine n'ont rien de naturel. Pas étonnant que la couleur des nuages lui ait rappelé la strige !

Il y a de la magie là-dessous. De la magie noire.

À cet instant, un éclair éblouissant jaillit, telle une gigantesque flèche de feu lancée vers le navire par un archer invisible.

«Darkat ! pense le garçon. Darkat est furieux parce que j'ai ruiné ses plans ; il aurait sans doute réussi à enlever le roi si je n'avais pas parlé avec Nour, si je n'avais pas prévenu messire Onys. Darkat se venge… »

Et, tandis qu'ils retournent tous les trois vers l'écoutille, ballottés d'avant en arrière, une onde de terreur court le long du dos de Cham.

«Nour! songe-t-il. Oh, Nour! Je voudrais tant que tu sois près de moi!»

3

Un secours inattendu

Soudain, le bateau plonge en avant. Nyne et Cham sont projetés à terre. Par chance, ils tombent au milieu des ballots de toile. Hadal se raccroche de justesse à la rambarde de l'escalier.

Quelques secondes plus tard, le navire se redresse et bascule vers l'arrière. Les enfants glissent sur le sol comme sur un toboggan. Puis ils sont renvoyés dans l'autre sens, sur une pente vertigineuse, lorsque l'avant du bateau s'enfonce de nouveau dans un énorme creux de houle. Leurs cris d'effroi se mêlent aux mugissements de la tempête, aux craquements de la coque. Ils sont secoués telles des noix dans un panier; il leur semble que ce tangage infernal ne s'arrêtera jamais. La lueur des éclairs, qui traverse le hublot, les enveloppe par instants de reflets blafards.

— On va couler ! hurle Nyne.

— Nour ! appelle Cham. Au secours !

Oh, qu'il voudrait voir apparaître le jeune dragon aux écailles vertes ! Nour l'emporterait sur son dos, loin de ces ténèbres maléfiques !

Le garçon appelle encore, mais il sent bien que ses cris se perdent dans l'espace. Nour est trop loin pour l'entendre, même en pensée. Si une créature ailée surgissait de la tempête, ce serait plutôt l'épouvantable strige !

Alors que les enfants se croient déjà perdus, un choc sourd résonne contre la coque, suivi de deux autres. Presque aussitôt, le tangage se calme un peu. Le frère et la sœur réussissent à se remettre sur leurs pieds. D'un pas mal assuré, ils rejoignent Hadal. Celui-ci se frotte le crâne. Il s'est à moitié assommé contre la paroi.

– C'était quoi, ces bruits? l'interroge Cham, plein d'angoisse. On n'a pas heurté un rocher, j'espère?

– Je ne sais pas; je… je ne pense pas…, balbutie Hadal. Ça remue moins, en tout cas.

– Mais il fait toujours aussi noir, gémit Nyne. Moi, j'ai peur!

« Moi aussi », pense Cham.

Hadal prend son ton le plus rassurant:

– Allons, il n'y a rien à craindre. La tempête semble s'éloigner. Remontons sur le pont, le capitaine pourra sans doute…

Il s'interrompt, car des pas précipités résonnent au-dessus de leurs têtes. Ils perçoivent des appels, des exclamations.

« Ce sont les matelots, songe Cham. On dirait qu'ils sont affolés… »

Nyne a alors une curieuse réaction. Son visage s'éclaire:

– Oh ! Peut-être que… Et si c'était… ?

Elle remonte l'escalier à toute vitesse et disparaît par l'écoutille.

– Où tu vas ? Attends-moi ! crie Cham en s'élançant à sa suite.

Lorsqu'il émerge sur le pont, il constate que le vent souffle toujours aussi fort. Pourtant, le navire ne tangue plus que légèrement, comme s'il ne faisait qu'effleurer la crête des vagues. Cham voit des hommes d'équipage penchés par-dessus le bastingage. L'un d'eux, bras tendu, abaisse une lanterne vers les flots. Le garçon entend leurs voix incrédules :

– Qu'est-ce que c'est que ces monstres ?

– Il y en a aussi un à tribord ! annonce quelqu'un quelque part.

– Des serpents de mer ! Des espèces de serpents de mer ! pleurniche un tout jeune matelot.

Nyne joue des coudes pour se faufiler jusque-là. Alors elle s'écrie :

– Mais non ! Ce sont des élusims ! Je le

savais! Les élusims viennent toujours au secours des navires en détresse!

Cham rejoint sa sœur, repoussant les marins interloqués. Puis c'est au tour de Hadal d'arriver.

– Regardez! leur lance Nyne, triomphante. Des élusims!

Contre la coque du navire se pressent deux énormes bêtes. Leur dos sombre et luisant dépasse à peine de l'eau. Au bout de leur cou ondulant se balance une large tête au museau allongé.

— Vous voyez, dit la petite fille, ils nous soutiennent, ils empêchent les vagues de nous chahuter. Je me demande si…

Elle se tait, scrutant la mer houleuse et noire. Et voilà que s'élève une curieuse mélodie, qui accompagne la voix du vent : les élusims se sont mis à chanter.

— Hrummm, font-ils. Hrumm, hrummm, hrummm…

Une troisième créature émerge alors de l'eau, ruisselante. Fixant sur la fillette ses yeux d'un bleu profond, elle fredonne :

— Hrummm, hrumm, hrummm…

— Vag ! souffle Nyne. C'est toi, mon petit Vag ! Tu es venu à notre aide !

La nuit des élusims

Bien que le vent hurle toujours, le navire vogue à présent presque sans tanguer. Le capitaine confie le gouvernail à son second et s'approche. Les matelots l'entourent, très excités.

– C'est pas croyable, capitaine, l'interpelle l'un d'eux. La gamine, elle... elle *parle* avec cet animal !

En effet, entre Nyne et Vag, un curieux dialogue a commencé. La petite fille pose des questions, et l'élusim lui répond. Hadal,

Cham et les matelots, eux, ne perçoivent que des «hrummm, hrumm, hrummm».

— J'ai entendu de vieux marins évoquer des rencontres de ce genre, dit le capitaine. J'avoue que je tenais leurs récits pour des légendes. En tout cas, sans ce secours inattendu, nous risquions de faire naufrage. J'ai déjà traversé bien des tempêtes, mais celle-ci avait quelque chose de… pas naturel. Je me demande quel maléfice l'a provoquée.

À ces mots, Cham frémit intérieurement : lui, il connaît la réponse !

La mer est encore houleuse, et le ciel, aussi noir que de l'encre. Cependant, on a l'impression que les vagues et le vent ont renoncé, que leur fureur se détourne du navire.

«C'est grâce à la protection des élusims, pense le garçon. Ils sont plus forts que Darkat, le sorcier !»

— On peut libérer les voiles, constate le capitaine.

Tandis que les matelots courent à leurs postes, il ajoute à l'intention de Hadal :

— Nous avons été poussés hors de notre route, et j'ignore où nous nous trouvons exactement. Je vais tenter de faire le point.

Nyne intervient alors :

— Monsieur, les élusims vont nous conduire. Vag m'a dit que…

— Qui est Vag ? l'interrompt l'officier.

— Vag ? C'est lui, répond la fillette en désignant la créature au regard bleu, qui nage contre le flanc du navire.

Avec fierté, Nyne ajoute :

— J'ai sauvé son œuf, vous savez ! Je l'ai élevé. Quand il est sorti de sa coquille, il était minuscule ; il tenait dans mes mains. Et il est devenu si beau, si grand !

— Comment comprends-tu son langage ?

— Ses paroles résonnent dans ma tête.

— Vraiment ?

Cham, se sentant un peu oublié, s'empresse d'intervenir :

— Comme moi avec les dragons !

Interloqué, l'homme interroge Hadal du regard. Celui-ci a un petit rire :

— Eh oui, capitaine ! Les enfants que

vous avez l'honneur de transporter possèdent des dons… très particuliers. Messire Damian, mon ancien maître, le premier des dragonniers, m'a confié qu'ils étaient destinés à de grandes choses !

Le capitaine reste pensif un bref instant. Puis il s'adresse de nouveau à Nyne :

— Ainsi, ces élusims vont nous conduire. Savent-ils si nous sommes loin de notre destination ?

— Vag m'a annoncé qu'ils nous remettraient bientôt sur la route de l'île aux Dragons. Mais, avant, ils veulent nous emmener quelque part, mon frère et moi. Vag dit que quelque chose doit nous être remis. Il dit que c'est une… une opportunité. Je n'ai pas très bien compris.

— Cela signifie que c'est une chance, une bonne occasion, explique Hadal.

— Une occasion de quoi ? grommelle le capitaine. Nous avons déjà pris un retard considérable. S'il faut encore faire un détour…

Une exclamation de Cham l'interrompt :

– Regardez ! Le ciel !

Tous lèvent la tête. Alors, sous leurs yeux ébahis, un phénomène surprenant se produit. La nuée noire qui semblait recouvrir la mer s'enroule sur elle-même telle une énorme couverture. Puis, d'un coup, elle prend la forme d'un dragon gigantesque aux ailes étendues. À une vitesse surnaturelle, le monstre disparaît à l'autre bout de l'horizon.

« Ainsi, c'était bien la strige… », pense Cham.

— Ooooooh ! lâchent les autres d'une seule voix.

Le ciel, au-dessus d'eux, scintille à présent de millions d'étoiles. Une nuit lumineuse répand sur la mer et sur le navire une clarté d'argent.

— Comment est-ce possible ? s'étonne Hadal après un silence. Quand nous sommes partis, il faisait grand jour. La tempête n'a tout de même pas duré si longtemps !

La voix de Vag s'élève alors :

— Hrummm, hrumm, hrummm…

— Que dit-il ? s'enquiert le capitaine.

Nyne se penche au-dessus du bastingage pour écouter les chantonnements de la créature. Puis elle traduit :

— Il dit que nous sommes dans son royaume, et que le temps n'est pas le même, ici. Il fait jour chez nous. Il fait nuit chez lui. C'est la nuit des élusims.

Le Château Roc

Le navire vogue à présent sur une mer presque lisse où se reflète le clignotement des étoiles. Un silence paisible emplit la nuit, à peine troublé par le clapotis de l'eau contre la coque.

Hadal et les enfants se sont installés à la proue. Ils regardent les élusims s'ébattre autour du bateau. Les créatures marines n'ont plus besoin de le soutenir. Elles se contentent de l'accompagner, plongeant parfois sous la surface, réapparaissant un peu plus loin.

– On dirait qu'ils jouent, remarque Hadal.

Nyne et Cham approuvent d'un hochement de tête. Ils ont l'impression de vivre un rêve éveillé. Un vent tiède sèche leurs cheveux et leurs vêtements; son souffle léger emporte les dernières traces de l'effroi causé par la tempête maléfique.

Vag nage devant, guidant les voyageurs vers une mystérieuse destination.

Bientôt, une masse sombre se découpe à l'horizon. Depuis le nid-de-pie, un matelot lance :

– Terre !

Ils sont arrivés. Devant eux, comme surgie de la mer, se dresse une haute et sombre forteresse rocheuse.

– Cham ! s'écrie Nyne. J'ai déjà vu cet endroit !

– Quoi ? Comment ça ?

– Il m'est apparu dans le miroir de maman. J'étais sûr que Vag m'y conduirait un jour !

— Et tu as une idée de qui nous y attend?

La petite fille fait non de la tête. Elle semble si songeuse que Cham n'insiste pas. D'ailleurs, ils sauront bientôt…

Le navire ralentit. Un puissant bruit d'éclaboussure annonce qu'on vient de jeter l'ancre.

Avec des « hrummm, hrumm, hrummm » joyeux, les élusims plongent et disparaissent dans les flots. Seul Vag est encore là. Il s'approche et il *parle* un moment avec Nyne.

La petite fille explique au capitaine, venu aux nouvelles :

— Nous sommes devant l'Île-Qui-N'a-Pas-De-Nom. Les élusims l'appellent ainsi, parce qu'elle ne figure sur aucune carte humaine. Vag demande que vous mettiez un canot à la mer pour qu'un matelot nous emmène jusqu'au rivage, Cham et moi. Ensuite, il nous attendra. Nous deux, nous nous rendrons au Château Roc. Là-bas, nous rencontrerons quelqu'un ; je ne sais pas qui…

– Je vous accompagne, décide Hadal. J'ai promis à votre père de prendre soin de vous et je ne voudrais pas que…

– Non ! l'interrompt la petite fille. Vag a bien insisté : Cham et moi devons y aller seuls.

– Tout ça ne me plaît guère, grommelle leur compagnon. Cette nuit, ces créatures, cet endroit sans nom… C'est peut-être dangereux.

– Hadal ! proteste Nyne, presque fâchée. Vag est mon ami ! Jamais il ne nous mettrait en danger ! Sans lui, sans les élusims, nous aurions sûrement fait naufrage, et nous serions tous au fond de l'eau à l'heure qu'il est ! Ayez confiance !

– Ma sœur a raison, intervient Cham. J'ignore ce que nous allons trouver sur cette île, mais c'est forcément important. Essentiel, même !

Hadal dévisage les enfants d'un air pensif. Tout à l'heure, n'a-t-il pas rapporté avec fierté au capitaine les paroles de son ancien maître, messire Damian : que ces enfants avaient des dons particuliers ? Et, depuis trois jours qu'il est avec eux, n'a-t-il pas été témoin d'événements extraordinaires ? Ce n'est pas à lui d'empêcher le cours des choses.

Avec un soupir, il cède :

— Soit ! Promettez-moi au moins d'être prudents !

— Promis ! lancent la fille et le garçon d'une seule voix.

Quelques instants plus tard, Nyne et Cham sont à bord d'un canot, en compagnie d'un matelot.

À grands coups de rames, celui-ci dirige l'embarcation vers la rive, que l'on devine dans l'ombre, à une centaine de mètres de là.

À mesure qu'ils s'en approchent, l'Île-Qui-N'a-Pas-De-Nom apparaît. Sous la pâle lumière des étoiles, elle ressemble à un énorme bloc de rochers, sans une plante, sans un arbre.

« C'est lugubre… », pense Cham.

Il est pris soudain d'un doute affreux : si Hadal avait raison, finalement ? Ils sont peut-être en danger. Que leur veut cet inconnu qu'ils doivent rencontrer ? De quelle « opportunité » parlait Vag ? Et quel rôle jouent les élusims, là-dedans ? S'ils étaient complices de la strige ? C'est vrai, ça ! Sans la tempête, ils n'auraient pas eu besoin d'intervenir. Le navire aurait sûrement déjà atteint l'île aux Dragons. Les enfants seraient à la ferme, avec leur père.

« Papa… »

Antos doit guetter leur arrivée. Il s'inquiète sans doute. Quoique... Vag n'a-t-il pas dit que le temps, ici, était différent ? Cham a l'impression que des heures ont passé, depuis leur départ du port. Mais peut-être ne s'est-il écoulé que quelques minutes, comme dans les rêves ?

Un bruit d'eau fait sursauter le garçon. Vag vient de surgir à leur côté.

– Hrummm, fait-il. Hrumm, hrummm...

L'élusim allonge le cou ; son museau mouillé effleure gentiment le visage de Nyne. La petite fille rit, et Cham a soudain honte de ce qu'il vient de penser : non, l'élusim n'a rien à voir avec l'horrible strige ! L'élusim est leur ami. Il faut lui faire confiance.

La créature chantonne de nouveau.

– Oh oui ! s'écrie Nyne. Je suis très curieuse de savoir ce que le *quelqu'un* qui nous attend va nous donner !

Un léger heurt : le canot a atteint la rive. Le matelot aide ses jeunes passagers à mettre pied à terre. Puis il déclare :

– Bon, je reste ici, les enfants. Si vous avez besoin de quoi que ce soit, appelez-moi !

Un sentier serpente entre les rochers. D'instinct, Nyne et Cham se sont pris par la main. Le cœur battant, ils font quelques pas. Il leur semble que les étoiles brillent plus fort pour éclairer leur chemin. Alors ils découvrent que la grande masse sombre, devant eux, qui ressemblait de loin à un énorme rocher, est en réalité un château, flanqué de tours massives. Ils devinent un large escalier, qui mène à un haut portail. C'est dans cette bouche d'ombre qu'ils doivent entrer.

– Le Château Roc ! murmure Nyne.

Otéron

Les enfants hésitent, impressionnés. Il fait bien noir, dans ce château de rocher…

Un clapotis les alerte : c'est Vag, dont l'énorme silhouette émerge de l'eau, près de la rive.

– Hrummm, chantonne-t-il d'une voix encourageante. Hrumm, hrummm !

– Il nous dit de ne pas avoir peur, traduit Nyne. Viens, on y va !

Main dans la main, le frère et la sœur se dirigent vers l'escalier, grimpent les marches. Les voilà sous la voûte du grand portail taillé dans le roc. Alors qu'ils s'immobilisent sur le seuil sombre, deux petites lumières clignotent soudain dans l'obscurité, une de chaque côté de l'entrée. Ce sont deux flammes dansantes, qui viennent de s'allumer dans des vasques en forme de coquillages, accrochées à la paroi. À leur lueur, on devine un long couloir, qui s'enfonce au cœur de l'étrange demeure.

Les enfants avancent prudemment. Deux autres lumières s'allument ; puis deux encore. À mesure qu'ils progressent, de nouvelles flammes jaillissent dans ces lampes-coquillages, disposées à intervalles réguliers, éclairant leur chemin.

Bientôt, Nyne et Cham s'arrêtent devant une grande porte de bois. Des créatures marines sont sculptées sur les montants. On reconnaît des poulpes, des méduses, des étoiles de mer. Les enfants se consultent du regard : que doivent-ils faire ? Frapper ? Pousser le battant et entrer ?

Ils n'ont pas à s'interroger plus longtemps : la porte s'ouvre avec lenteur. Une

vaste salle apparaît. Des dizaines de lampes-coquillages brillent sur ses murs, l'emplissant de lumière. Au centre de la salle se dresse une longue table entourée de tabourets. Les pieds de la table et ceux des sièges sont en forme de poissons dressés sur leur queue.

L'espace d'un instant, Nyne et Cham croient que la pièce est vide. Puis ils distinguent, sur l'un des tabourets, une silhouette grise, un peu bossue. Quelqu'un est assis là, qui leur tourne le dos.

— Euh... hem... bonjour! fait Cham.

— C'est vous qui...? commence Nyne.

Avant qu'elle ait terminé sa phrase, un bonhomme aux courtes jambes saute à terre et se plante devant les arrivants. D'une voix aigrelette, il s'écrie :

— Eh bien, ce n'est pas trop tôt! Otéron commençait à s'impatienter! Otéron a quelque chose pour vous, à ce qu'il paraît. Oui, oui, c'est à vous qu'Otéron doit *le* donner. Un garçon, une fille, c'est correct. C'est bien ce qu'Otéron attendait.

«Otéron…, pense Cham. Voilà donc le nom de ce *quelqu'un* que nous devons rencontrer…»

Nyne observe avec étonnement le drôle de personnage : il a la taille d'un enfant et, en même temps, il donne l'impression d'être très vieux. Sa peau grise et lisse rappelle celle des phoques. Sa bouche n'est qu'une mince fente sans lèvres. Il a un nez aplati et de petites oreilles rondes étroitement collées à son crâne chauve. Ses pieds nus et ses mains sont palmés comme les pattes d'un oiseau de mer. Il est vêtu d'un pagne fait d'algues tressées.

«Ce doit être un troll marin, suppose la petite fille. Je ne pensais pas que ça existait.»

Cham prend la parole:

— Eh bien, euh…, messire, vous pouvez dire à Otéron que nous sommes là.

— Dire à Otéron qu'ils sont là! s'exclame le bonhomme, une lueur de moquerie dans ses petits yeux ronds. Il le voit bien, que vous êtes là! Il n'est pas aveugle, Otéron!

Les enfants parcourent la salle du regard, à la recherche du dénommé Otéron. Ils ne découvrent personne.

— Ha, ha, ha, ha! s'esclaffe l'espèce de troll.

Son rire ressemble au cri rauque d'une mouette.

— Ha, ha, ha, ha! Sont-ils bêtes! Otéron se demande s'il doit *le* donner à des gamins aussi stupides. Enfin, les ordres sont les ordres. Attendez ici! Otéron va *le* chercher. Otéron revient tout de suite.

Sur ces mots, le bonhomme s'éloigne en trottant sur ses courtes jambes.

Il pousse une porte dissimulée dans le rocher et disparaît.

– Alors, c'est lui, Otéron ! comprend Nyne. C'est lui le *quelqu'un* qu'on doit rencontrer !

Les enfants échangent un coup d'œil, interloqués. Et, soudain, ils pouffent nerveusement.

Elle ?

Presque tout de suite, Otéron est de retour. Il tient dans la main un petit paquet rectangulaire enveloppé dans un morceau de toile.

– Voilà ! fait-il en le déposant sur la table. Quand *Elle* ordonne, Otéron obéit. Et *Elle* a dit à Otéron de vous donner ça.

Le bonhomme croise les mains derrière le dos et se met à se balancer d'un pied sur l'autre.

– *Elle* ? répète Nyne.

– Qui ça, *Elle* ? interroge Cham.

De nouveau, le frère et la sœur échangent un coup d'œil. Tous deux sentent leur cœur battre plus fort, sans qu'ils sachent très bien pourquoi. Le bonhomme les dévisage d'un air railleur :

– Si vous ne savez pas qui *Elle* est, Otéron ne le sait pas non plus.

Pointant du doigt le paquet, sur la table, il ajoute :

– Alors, vous le prenez ? Faut-il qu'Otéron le déballe pour vous ?

Nyne se décide la première. Elle s'approche et, les mains un peu tremblantes, elle ôte l'enveloppe de toile.

– Un livre… ? murmure Cham.

Oui, un livre de petite taille, pas très épais. Sa couverture est en cuir brun, sans ornements, munie d'un fermoir de métal. Un titre est gravé dessus, en lettres d'argent :

Quand les enfants tentent de le déchiffrer, ils n'y arrivent pas.

– C'est une langue étrangère ? demande Cham.

– Otéron l'ignore. Les nicampes ne savent pas lire.

– Vous êtes un… nicampe ?

– Évidemment ! Ça ne se voit pas ? Mais *Elle* a dit que vous, vous sauriez. *Elle* a dit qu'il fallait simplement réfléchir.

– Réfléchir ? murmure Cham.

De nouveau, il examine l'écriture biscornue. Rien à faire, il n'en comprend pas le sens.

— Réfléchir ! ricane le nicampe. Oui, oui, oui ! *Elle* a bien dit : « réfléchir » !

Le garçon hausse les épaules. Il ouvre le fermoir, et sa sœur se penche pour voir. Cham feuillette le volume et lâche :

— Qu'est-ce que… ?

Décontenancés, les enfants interrogent Otéron du regard.

— Eh bien ? fait celui-ci.

— Les pages sont blanches ! s'écrie Cham. Il n'y a rien d'écrit, dans ce livre !

Le curieux personnage grimpe sur un tabouret, se perche sur la table et, croisant les bras, il se met à balancer ses courtes jambes dans le vide :

— Rien d'écrit, voyez-vous ça ! Hi, hi, hi ! Si Otéron ne sait pas lire, Otéron sait qu'il y a plein de choses, sur ces pages. Des choses très intéressantes. Seulement, elles n'apparaissent que lorsqu'on a vraiment besoin de les connaître. C'est *Elle* qui l'a dit. Hi, hi, hi !

Ce ton moqueur commence à agacer Nyne :

— Si vous nous parliez un peu d'*Elle* ? Vous l'avez vue, puisqu'elle vous a remis ce livre pour nous. Vous lui avez parlé !

— Otéron l'a vue, Otéron lui a parlé. Mais Otéron ne sait pas qui *Elle* est. *Elle* est belle : une peau blanche, de longs cheveux noirs…

L'air rêveur, il ajoute, comme en confidence :

— *Elle* chante, parfois.

À ce détail, Cham tressaille :

— Elle chante ? Vous vous souvenez d'une de ses chansons ?

Le bonhomme se renfrogne aussitôt :

— Un nicampe ne chante pas.

Après un bref silence, Nyne demande doucement :

— Est-ce qu'elle habite le Château Roc ?

Otéron secoue la tête :

— Non. *Elle* apparaît de temps en temps. *Elle* demande si les enfants sont venus. Otéron répond que non, et *Elle* repart tout de suite. La prochaine fois, Otéron répondra que oui. *Elle* aura peut-être l'air moins triste. Otéron croit qu'*Elle* s'échappe. Otéron ne sait pas d'où. Otéron croit qu'*Elle* a peur...

— Elle s'échappe? répète Nyne. Elle est prisonnière?

Cham fronce les sourcils:

— Et comment arrive-t-elle sur cette île? En bateau?

— Otéron ne sait pas. De temps en temps, Otéron entend qu'on l'appelle. Et *Elle* est là, dans cette salle. *Elle* parle à Otéron, puis *Elle* lui demande de sortir. Otéron n'a jamais assisté à son départ.

— Cela fait longtemps qu'elle vient au Château Roc? interroge Nyne.

— Pas très longtemps. La première fois qu'*Elle* est venue, *Elle* a confié le livre à Otéron. *Elle* lui a demandé de le remettre aux enfants. *Elle* a dit qu'ils étaient assez grands, maintenant.

— Et... vous ne savez pas comment elle s'appelle? insiste Cham.

— Otéron ne connaît pas son nom. Et puis, assez de questions ! Otéron n'aime pas les questions.

Brusquement, le nicampe saute à terre. Il referme le livre, fait claquer le fermoir, enveloppe le volume dans la toile qui le protégeait et fourre le paquet entre les mains de Cham :

— Allez ! Emportez-le ! *Elle* veut que vous le gardiez. *Elle* dit que vous en aurez besoin. Bientôt. Mais que personne ne doit savoir que vous êtes venus. Alors, filez ! Vous êtes restés ici trop longtemps. Otéron ne veut pas d'ennuis, hein ! Si on l'interroge, il répondra qu'il ne vous a jamais vus ! Filez !

Abasourdis, les enfants quittent la salle en courant presque. À l'instant où la lourde porte se referme dans leur dos, ils entendent une dernière fois la voix éraillée du nicampe qui leur lance :

— Il faut réfléchir ! N'oubliez pas ! Réfléchir !

À mesure que Nyne et Cham remontent le corridor, les flammes qui dansent dans les lampes-coquillages s'éteignent derrière eux, les unes après les autres. Quand ils atteignent le portail, l'intérieur du Château Roc est retombé dans l'obscurité.

Les enfants sont bien soulagés de retrouver le canot qui les attend sous le clignotement argenté des étoiles.

La frontière de brume

— Alors ? les interroge Hadal, lorsque Cham et Nyne se sont hissés sur le pont par une échelle de corde.

Hadal s'est fait beaucoup de souci pendant leur absence. Elle lui a semblé interminable. Et la masse ténébreuse du Château Roc, dressée contre la nuit, n'était pas pour le tranquilliser.

— Tout va bien ! s'écrie la petite fille. On a rencontré un drôle de bonhomme. Un ni…

Son frère la fait taire d'un coup de coude :

– Chut! On ne peut rien dire, rappelle-toi!

Nyne hausse les épaules et marmonne:

– Moi, il m'a eu l'air un peu dérangé, ce nicampe! Et puis, tout le monde sur le bateau a vu que nous étions allés sur l'Île-Qui-N'a-Pas-De-Nom.

– C'est vrai, chuchote Cham. Mais ce qui s'est passé là-bas doit rester secret.

Le garçon se tourne vers leur compagnon:

– Nous n'avons pas le droit de parler. Désolé, Hadal!

– Je comprends, lui assure celui-ci. Savez-vous du moins si le bateau peut repartir, à présent?

Le capitaine, qui s'est approché, intervient:

– Oui! Et, plus important encore, dans quelle direction nous devons faire voile?

Il y a un mélange d'inquiétude et d'irritation dans la voix du marin. Nyne l'a senti. Elle dit doucement:

– Oui, capitaine. Nous pouvons repartir.

Quant à la direction, Vag m'a promis qu'il allait nous conduire. D'ailleurs, il est là, il attend.

La petite fille désigne la mer à tribord. Tous s'approchent du bastingage.

La longue tête de l'élusim émerge de l'eau. Il chantonne :

— Hrummm, hrumm, hrummm… !

— Il vous demande de le suivre, traduit Nyne.

Vag commence à nager.

— Levez l'ancre ! ordonne le capitaine. Barre à tribord !

Au même instant, une bonne brise se met à souffler, comme si elle avait attendu ce moment. Les voiles se gonflent. Et le puissant navire s'éloigne lentement de l'île sans nom.

La mer est calme, le vent est tiède. Les étoiles se reflètent dans l'eau. Cham, Nyne et Hadal, accoudés au bastingage, ont l'impression de voguer dans un songe, hors de l'espace et du temps. Chacun d'eux se promet de ne jamais oublier ces instants, de garder précieusement dans sa mémoire la magie de cette nuit des élusims.

Soudain, une voix tombe du nid-de-pie :

– Brume droit devant !

Hadal et les enfants courent à la proue. Alors, ils restent stupéfaits : face à eux s'élève une masse blanchâtre, compacte, si haute qu'elle dissimule même les étoiles.

– Qu'est-ce que c'est ? s'exclame Cham.

– Du brouillard, on dirait, murmure Hadal. Pourtant, il a l'air presque… solide !

On aperçoit seulement le dos, le cou et la tête sombre de Vag devant cette blancheur. De loin, il semble appeler :

– Hrummm, hrumm, hrummm… !

Le capitaine vient se renseigner. Nyne lui traduit aussitôt :

— Continuez droit devant, capitaine ! Vag ne nous accompagnera pas plus loin. Mais n'ayez aucune crainte, le bateau traversera ce brouillard sans dommage. Et Vag dit que, de l'autre côté, vous saurez poursuivre votre route.

— Bon, bougonne le marin. De toute façon, on est bien obligés de s'en remettre à ce… cette créature.

Vag s'est approché du bateau. Ses chantonnements se font plus lents, plus graves. Nyne murmure :

— Merci, Vag ! Merci pour tout ! Je te reverrai bientôt ?

— Hrummm, hrumm, hrummm, répond l'élusim.

— Alors, au revoir, Vag !

La petite fille agite la main, tandis que son énorme ami lui lance un dernier regard, avant de plonger et de disparaître.

Cham passe un bras autour des épaules de sa sœur :

— Tu le reverras, j'en suis sûr. Ne sois pas triste, Nyne.

– Oh oui, soupire celle-ci. Bien sûr, je le reverrai. Mais quand ?

À cet instant, Hadal lâche une exclamation :

– Regardez !

Le navire est arrivé devant le mur de brume ; sa proue s'enfonce doucement dans la masse cotonneuse. Le silence se fait, un silence total. On n'entend ni le clapotis de l'eau ni le craquement des cordages. Les enfants regardent autour d'eux : ils ne voient plus rien. À peine distinguent-ils leurs propres silhouettes, alors qu'ils se tiennent l'un contre l'autre. Ils pénètrent dans un monde blanc, humide, insonore. Peu à peu, une pâle lueur donne à cette épaisseur crémeuse un début de transparence.

Et, soudain, ils ont traversé.

Ils sont en pleine mer. Le soleil brille haut dans un ciel sans nuages ; une houle légère balance le navire ; la brise gonfle les voiles.

Nyne et Cham se retournent, abasourdis : derrière eux, il ne reste aucune trace du mur de brouillard. Il s'est évaporé! À croire qu'il n'a jamais existé! Les jeunes voyageurs sont passés de la nuit au grand jour; ils ont franchi l'étrange frontière qui sépare leur monde de celui des élusims.

La fin du voyage

— Eh bien, commente joyeusement Hadal, les vents sont favorables, aujourd'hui. Je parie que la traversée va durer moins de deux heures !

Nyne et Cham, décontenancés, dévisagent leur compagnon.

— Mais…, bredouille Cham, cette grosse tempête qui…

— Une tempête ? Oh, tout juste un grain ! Ce sont des choses qui arrivent, à cette saison. Et ça n'a duré que quelques instants. Voyez comme le ciel s'est dégagé ! Plus un nuage !

Les enfants échangent un coup d'œil. Qu'est-ce que ça signifie ?

Cham insiste :

— Pourtant, on a été rudement secoués ! Vous vous êtes même cogné contre une paroi ! Vous avez un bleu, là…

Hadal se frotte la tempe en riant :

— Ah oui, ce n'est rien ! Que voulez-vous, je n'ai pas le pied marin !

Choisissant ses mots avec prudence, Nyne demande :

— Dites-moi, Hadal, y a-t-il d'autres îles par ici ?

— Pas que je sache. Mais je n'ai pas beaucoup navigué. Le capitaine vous renseignera mieux que moi.

Justement, celui-ci s'approche, souriant :

— Alors, les enfants, tout va bien ? Un voyage sans histoire, n'est-ce pas ?

Cham lance :

— Grâce à vous, capitaine ! Ce doit être difficile de diriger un bateau dans la tempête !

Le marin s'esclaffe :

— Ah, de vraies tempêtes, j'en ai affronté plus d'une ! Ce que nous avons traversé tout à l'heure n'était qu'un léger coup de chien ! Vous n'avez pas eu peur, j'espère ?

— Oh non…, affirment les enfants d'une seule voix.

— Parfait ! Vous serez bientôt chez vous.

En effet, on distingue déjà, au loin, la curieuse forme de baleine de l'île aux Dragons.

Cham reprend :

— Capitaine ! Je voulais savoir… Existe-t-il d'autres îles, par ici ?

— Non, aucune ! Je sillonne cet océan depuis de nombreuses années, et je ne connais que la vôtre.

Le capitaine s'éloigne pour commander la manœuvre d'approche. Laissant Hadal accoudé au bastingage, Nyne et Cham font mine de se promener sur le pont. Dès qu'ils sont hors de portée de voix, ils se mettent à chuchoter avec excitation.

— Je ne suis pas fou ! commence Cham. Il y a bien eu une terrible tempête ?

— Ça, oui ! J'ai même cru qu'on allait couler. Heureusement, Vag est arrivé, avec d'autres élusims…

— Et Vag nous a conduits sur l'Île-Qui-N'a-Pas-De-Nom ! Et on a rencontré le nicampe, ce…

— Cet Otéron ! Et il nous a donné un…

Le livre ! Cham le sent, là, contre sa hanche. Il l'a glissé dans sa ceinture avant de remonter à bord. Vérifiant du coin de l'œil si personne ne les regarde, il sort le paquet.

— Montre ! fait Nyne.

Cham écarte l'enveloppe de toile, et le livre apparaît.

Les lettres d'argent du titre scintillent, toujours aussi incompréhensibles.

— Donc, souffle la petite fille, on n'a pas rêvé. On a vraiment traversé cette tempête maléfique, on a vraiment été sauvés par les élusims, Vag nous a vraiment conduits jusqu'au Château Roc… Pourquoi les autres ne se souviennent-ils de rien ?

Cham réfléchit un instant. Puis il déclare, très grave :

— Parce que nous ne sommes pas des enfants ordinaires, Nyne. Messire Damian, le plus vieux des dragonniers, l'a dit à Hadal : nous sommes destinés à de grandes choses !

– Oui, dit Nyne. Ça me fait un peu peur…

– À moi aussi, admet son frère.

Il revoit cette nuée ténébreuse, qui s'est enfuie en prenant la forme d'un dragon. La strige ! Il se souvient du redoutable Darkat. Le sorcier a voulu se venger de lui. Il a échoué, grâce à l'intervention des élusims. Seulement, s'il attaquait de nouveau… ?

Le poids du livre, dans sa main, le rassure un peu. Ce livre, une inconnue a voulu qu'ils le possèdent. Une magicienne, peut-être ? Comment les connaît-elle ? Se pour-rait-il que ce soit… ?

D'une voix hésitante, il demande :

– Nyne, à ton avis, qui est la femme qu'Otéron nommait *Elle* ?

La petite fille ne répond pas tout de suite. Enfin elle déclare :

– Tu te souviens, un jour, je t'ai demandé si tu te rappelais de notre mère. Tu m'as décrit un visage très blanc et de longs cheveux noirs. Tu as parlé de chansons… Exactement comme le nicampe.

Ils restent un moment silencieux, n'osant en dire davantage. C'est… trop fou ! Enfin, Nyne reprend :

– Mais, s'il s'agit vraiment de notre maman, pourquoi est-elle prisonnière ? Et prisonnière de qui ?

Cham esquisse un geste d'ignorance avant d'ajouter :

– Le livre nous l'apprendra peut-être.

– Encore faut-il qu'on réussisse à le lire !

Le garçon rajuste la protection de toile autour du précieux volume et le remet dans sa ceinture. Regardant sa sœur au fond des yeux, il affirme :

– Tous ces mystères s'éclairciront, j'en suis sûr !

Nyne hoche la tête et conclut :

– Au fond, je suis contente que nous soyons les seuls à nous souvenir de l'île sans nom, du Château Roc et de la nuit des élusims !

– Moi aussi !

Ils échangent un sourire complice.

À cet instant, Hadal les interpelle :

– Cham ! Nyne ! On arrive ! Je vois votre père ; il vous attend sur le ponton !

Les enfants courent aussitôt jusqu'au bastingage et agitent les bras :

– Papa ! Papa !

Et, là-bas, l'éleveur de dragons leur fait de grands signes.

Des matelots mettent à l'eau la chaloupe qui va les ramener jusqu'au rivage. Dans quelques instants, ils seront chez eux.

10

Le titre du livre

Après de joyeuses embrassades, Nyne et Cham disent au revoir à Hadal et le remercient chaleureusement. Puis ils s'élancent, leurs baluchons à la main. Ils ne s'attendaient pas à être si heureux de retrouver leur maison. Leur absence n'a pas été bien longue, mais il s'est passé tant de choses, pendant ces trois jours, qu'il leur semble être partis depuis des mois !

Hadal reste un moment sur le ponton, à converser avec leur père. Nul doute que le secrétaire du Maître Dragonnier a beaucoup à lui dire !

Puis le canot le ramène au navire, qui vire au vent et s'éloigne majestueusement.

Du haut de la falaise, Cham le regarde partir.

« Lorsque j'aurai mes douze ans, songe-t-il, je retournerai au palais, pour devenir écuyer d'un dragonnier. »

Il fait le compte dans sa tête : encore un an et sept mois à attendre ! Une éternité !

Sur l'île aux Dragons, le reste de l'après-midi est bien occupé.

Les lapins ont été débarqués. Antos installe leurs cages à l'abri, dans un coin de la grange, en promettant de leur construire très vite de vrais beaux clapiers.

– C'est moi qui les soignerai, papa ! décrète Nyne. Au palais, la gardienne de la basse-cour royale m'a tout expliqué : comment les nourrir, récolter leur poil, le filer…

Avec fierté, elle ajoute :

– Ça se vend cher, tu sais, le poil de lapin angora ! Avec l'argent que nous allons gagner, tu pourras sûrement acheter d'autres vaches !

Pendant ce temps, Cham tourne autour de son père et de sa sœur, un peu désœuvré. Lui, il voudrait raconter ses retrouvailles avec le jeune dragon qu'ils ont élevé sur l'île, et qui s'appelle Ork, à présent. Il voudrait narrer les événements dramatiques qui sont arrivés pendant les fêtes royales, et faire savoir à son père de quelle manière lui, Cham, est intervenu. À écouter jacasser Nyne, il a l'impression que la petite fille a déjà tout oublié, et ça l'agace. Dans la vie, il y a des choses plus importantes que l'élevage des lapins, non ?

Puis les enfants défont leurs bagages. Nyne ne résiste pas au plaisir d'enfiler sa robe de fête pour la faire admirer à son père. Après quoi, elle va la suspendre dans son armoire ; elle range ses souliers dorés, enveloppés dans un papier de soie, en espérant qu'elle aura encore l'occasion de les porter avant qu'ils soient devenus trop petits.

Enfin, la journée touche à sa fin. Lorsqu'ils sont tous les trois assis autour de la table de la cuisine pour le souper, Antos demande :

— Eh bien, les enfants, ces fêtes royales ? Hadal m'a appris que votre présence au palais a été fort utile. Je suis très fier de vous ! Mais j'aimerais vous entendre conter tout cela.

— Oh oui, papa ! s'écrie Cham. On a… J'ai…

Le garçon a tant à dire que, soudain, les mots s'emmêlent dans sa bouche : Nour – ou plutôt Ork ; Darkat, le sorcier ; le défilé des dragonniers ; Isendrine et Mélisande, les magiciennes ; l'attaque de la strige ; la récompense promise par le roi…

Enfin il commence :

– Quand on est arrivés au palais de Nalsara, on a traversé la dragonnerie, et…

Cham parle longtemps. Nyne intervient parfois pour ajouter un détail. Néanmoins, les enfants ne révèlent rien de l'étrange aventure vécue sur le bateau, ni de leur rencontre avec Otéron dans le Château Roc. Pour l'instant, cela n'appartient qu'à eux. Peut-être en parleront-ils à leur père, un jour. Mais pas aujourd'hui.

Lorsque la petite fille se met à bâiller, Antos dit en riant :

– Allez vous coucher, maintenant, jeunes voyageurs ! Vous devez être bien fatigués. Et ne rêvez ni de monstres ni de sorciers ! Soyez sans crainte, les troupes du roi sont très entraînées, ses magiciennes sont puissantes. Le royaume est bien défendu, et, sur l'île aux Dragons, nous sommes en sécurité.

Les enfants montent à l'étage. C'est vrai qu'ils sont fatigués. Pourtant, dès qu'elle a enfilé sa chemise de nuit, Nyne va toquer doucement à la porte de son frère.

– Entre !

Comme la petite fille s'en doutait, Cham n'est pas couché. À genoux sur le parquet, il contemple le mystérieux livre que le nicampe leur a remis.

Nyne vient s'accroupir près de lui :

– Alors ?

Le garçon soupire :

– Les pages intérieures sont toujours blanches. Et je n'arrive pas à déchiffrer le titre. Pourtant, c'est bizarre, j'ai l'impression que ça ne doit pas être si difficile…

– Il faut réfléchir. Tu te souviens ? C'est ce que disait Otéron : réfléchir !

Soudain, la petite fille bondit sur ses pieds et s'exclame :

– Qu'on est bêtes ! Ne bouge pas, je reviens !

Laissant là son frère interloqué, elle fonce dans sa chambre. Elle en revient trois secondes plus tard, un sachet de velours à la main. Elle l'ouvre et en sort le petit miroir, cadeau du plus vieux des dragonniers.

– Tu te souviens de ce que m'a dit messire Damian, en me le donnant ? « C'est pour toi, Nyne, qu'il réfléchira désormais. »

– Bien sûr ! fait Cham.

Nyne approche le miroir du livre. Et le titre se reflète sur le verre : *Le Livre des Secrets.*

– Aaaaaaah ! lâchent ensemble les enfants.

Puis ils échangent un long regard. Un jour, oui, un jour où ils en auront besoin, le mystérieux ouvrage leur livrera ses secrets !

Retrouve vite Cham et Nyne
dans la suite des aventures de

Les dragons de Nalsara

Tome 5
La Bête des Profondeurs

L'automne est arrivé. Le vent arrache leurs feuilles aux arbres du verger, de lourds nuages gris viennent crever au-dessus de l'île aux Dragons. Lorsqu'il pleut comme ça sans arrêt, s'occuper des bêtes n'est guère agréable ! Les trois habitants de l'île doivent courir du poulailler à la porcherie, de l'étable à la bergerie en pataugeant dans la boue. Ils ont froid, ils sont mouillés. Et leur humeur finit par être aussi maussade que le ciel.

— Accroche ta pèlerine dans le couloir ! lance Nyne à son frère, avant même qu'il ait mis un pied dans la cuisine. Tu fais des flaques partout ! Je ne vais pas essuyer le carrelage dix fois par jour !

— Oh, ça va ! grogne Cham. Où tu étais, d'abord, pendant que je nettoyais les auges des cochons ? Bien à l'abri dans la grange, hein !

— Je m'occupais de mes lapins, figure-toi ! Pour récolter du beau poil angora, je dois les tenir propres et au chaud !

— Les lapins angoras de la demoiselle ! minaude Cham. Des petites bêtes si…

L'arrivée de leur père l'arrête dans sa lancée.

— Encore en train de vous disputer, vous deux ? grommelle Antos. Occupez-vous plutôt de préparer le souper ! Nyne, mets de l'eau à bouillir ; et toi, Cham, va donc chercher des carottes et des pommes de terre !

— Mais, proteste le garçon, je viens d'ôter mes bottes…

— Eh bien, tu les remets !

Quand son père parle sur ce ton, Cham sait qu'il vaut mieux obéir sans discuter.

Il s'empare d'un panier et, le dos courbé

sous l'averse, il court jusqu'à la remise où l'on entrepose les fruits et les légumes. Comme si Nyne n'avait pas pu rapporter ce qu'il fallait en revenant de la grange tout à l'heure !

– Mais, celle-là, quand elle est avec ses bestioles, bougonne le garçon entre ses dents, plus rien d'autre n'existe !

En vérité, Cham est un peu jaloux. Le roi a offert ces lapins à sa sœur en remerciement du service rendu, lors du jubilé. Pourtant, qu'a-t-elle fait de si extraordinaire, à part se servir de son miroir ?

« Même sans le miroir, songe-t-il, il était facile de comprendre que l'affreux Darkat avait de mauvaises intentions ! »

Tandis que lui, Cham, il a pu transmettre à temps les avertissements de Nour au Maître Dragonnier ! Il a chevauché le jeune dragon pour rassembler les dragonniers et les envoyer à l'assaut du sorcier ! Oh, le roi lui a accordé une magnifique récompense :

dès ses douze ans, Cham pourra devenir l'écuyer d'un dragonnier, au lieu d'attendre d'en avoir quatorze comme le veut la règle. Seulement…

« Seulement, je ne les aurai que dans un an et demi, mes douze ans… », ressasse-t-il pour la centième fois.

Le souper se déroule dans un silence morose. On n'entend que le sifflement du vent, au-dehors, et le tintement des cuillères contre les assiettes. Des courants d'air agitent la flamme des chandelles, et de grandes ombres dansent sur les murs de la cuisine.

Soudain, une rafale plus violente secoue la fenêtre. Nyne lève le nez.

Alors, elle reste pétrifiée : un large museau écailleux est collé aux carreaux, tandis que deux yeux dorés observent les dîneurs.

Un doigt tendu vers l'apparition, la petite fille bégaie :

– Papa ! Cham ! Regardez ! Un… un dragon !

Son père et son frère, assis dos à la fenêtre, se retournent d'un bloc.

– Un dragon, en effet ! constate Antos, interloqué. Qu'est-ce qui nous amène un tel visiteur ?

Sans quitter du regard l'arrivant inattendu, Cham se lève. Il s'approche de la fenêtre et annonce :

– Pas un visiteur, papa, une visiteuse. Tu ne la reconnais pas ? C'est Selka !

Les dragons de Nalsara

1 • Le troisième œuf
2 • Le plus vieux des dragonniers
3 • Complot au palais
4 • La nuit des élusims
5 • La Bête des Profondeurs
6 • La colère de la strige
7 • Le secret des magiciennes
8 • Sortilèges sur Nalsara
9 • La Citadelle Noire
10 • Aux mains des sorciers
11 • Les maléfices du marécage
12 • Dans le ventre de la montagne
13 • Douze jours, douze nuits
14 • Magie noire et dragon blanc